La gentillesse,
c'est si simple

C.P. 325, Succursale Rosemont
Montréal (Québec), Canada H1X 3B8
Téléphone: (514) 522-2244
Télécopieur: (514) 522-6301
Courrier électronique: pnadeau@edimag.com

Éditeur: Pierre Nadeau

Dépôt légal: premier trimestre 2000
Bibliothèque nationale du Québec
Bibliothèque nationale du Canada

Introduction

Il est difficile de définir précisément la gentillesse, mais c'est indéniablement une qualité majeure que tous devraient posséder. C'est simple, la gentillesse. C'est charmant, la gentillesse. C'est jouissif, la gentillesse. Bref, c'est à découvrir au plus vite pour ceux qui ne la

Canada
Nous reconnaissons l'aide financière du gouvernement du Canada par l'entremise du Programme d'Aide au Développement de l'Industrie de l'Édition (PADIÉ) pour nos activités d'édition.

possèdent pas, et à utiliser pour tous les autres. Voici quelques réflexions qui sauront, du moins je l'espère, mettre en perspective cette qualité qui devrait dicter notre conduite quotidienne.

Bonne lecture.

DISTRIBUTEURS EXCLUSIFS

Pour le Canada et les États-Unis
Les Messageries ADP
955, rue Amherst
Montréal (Québec) H2L 3K4
Téléphone: (514) 523-1182
Télécopieur: (514) 939-0406

Pour la Suisse
Transat S.A.
Route des Jeunes, 4 Ter
C.P. 1210
1 211 Genève 26
Téléphone: (41-22) 342-77-40
Télécopieur: (41-22) 343-46-46

Pour l'Amérique du Sud
Amikal
Santa Rosa 1840
1602 Buenos Aires, Argentine
Téléphone: (541) 795-3330
Télécopieur: (541) 796-4095

On laisse

toujours

son coeur parler

quand on agit

avec *gentillesse*.

ON N'EST JAMAIS JAMAIS TROP GENTIL.

Par la GENTILLESSE,

on finit toujours

par toucher

au bonheur

des autres.

J'aime **beaucoup**
celui qui sème
la *gentillesse*
autour de lui.

L'homme
est
ce qu'il fait.

—— André Malraux

Par la *gentillesse,*
on rend

heureux.

Elle ne s'apprend pas,

la **gentillesse**;

elle se vit.

Nous ne pouvons

ÊTRE GENTIL

que si nous sommes

OUVERT

à autrui.

14

Un PETIT MOT
D'AMOUR
ou D'AMITIÉ,

quelle belle

gentillesse.

Elle nous berce
d'une joie immense

cette gentillesse

que l'on porte
et que l'on
communique.

À n'en pas douter,

LA
GENTILLESSE

suscite

l'admiration.

On trouve

**la
gentillesse**

chez tous ceux

qui **y ont eu droit,**

qui y ont goûté.

La gentillesse

est une qualité

qui en comprend

une foule

d'autres.

Cherchez

le pouvoir magique

de la gentillesse

au quotidien,

car il existe.

La récompense
**d'une
bonne
action**,
c'est de l'avoir faite.

—— Sénèque

Pour être gentil,

il faut surtout

être humble

et apprécier

tout geste,

toute délicatesse

pour l'autre.

La VRAIE gentillesse

COÛTE PEU;

il ne faut pas

s'en surprendre.

23

Toute gentillesse

engage, mais

il ne faut pas

pour autant

que ça nous empêche

𝕯'𝖆𝖌𝖎𝖗.

24

Les enfants

ont besoin

de toute notre gentillesse.

Ils y ont

même

droit.

Il est facile
de **FUIR**
la gentillesse.
Mais n'est-ce
pas là une façon
incongrue
de vivre?

La
gentillesse,
c'est la TENDRESSE,

ton SOURIRE et ta JOIE

de vivre qui savent

GARDER JEUNE.

La gentillesse,
c'est donner

la LUNE

aux gens
QU'ON AIME.

Quand on est **bien**

dans sa peau,

on a toutes

les raisons

d'en donner

plus

aux autres.

Ce n'est

BON À RIEN

que de n'être

bon qu'à soi.

— Voltaire

La **gentillesse**,

c'est tendre la main.

C'est aussi

SIMPLE
QUE ÇA.

La gentillesse,

c'est tous ces

PETITS
GESTES

que l'on sait

appréciés

par l'autre.

Devant beaucoup

DE

GENTILLESSE,

on reste parfois étonné;

mais

comme

c'est bon.

Il n'y a pas de doute:

notre gentillesse

nous aide à construire

notre **bonheur**.

La
GENTILLESSE,
c'est de partager
les bons moments
avec autrui.

Si la *gentillesse*
n'est pas
dans **le coeur**
de tout homme,
où est-elle?

Je n'ai pas
de vérité;
je n'ai que
des convictions.

— Rostand

Notre société
devrait réapprendre
la **gentillesse**
et la délicatesse
au lieu de déployer
cette agressivité qui
la caractérise si bien.

La gentillesse,

c'est le **REFLET**

de notre éducation

et de notre personnalité.

Il n'est jamais

TROP TARD

pour de la

gentillesse.

40

Une gentillesse,
une délicatesse
par jour envers ceux
qu'on côtoie
devrait être
notre devise
universelle.

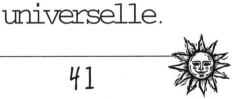

41

Parfois,

il ne faut

qu'un regard

pour afficher

sa **gentillesse**.

42

La **gentillesse**,

et à plus forte raison

l'amour

dans bien des cas,

c'est de faire

le premier pas.

Quand vos enfants

vous disent

combien ils vous aiment,

pensez à toute

la gentillesse qui émane

de ces paroles **du coeur**.

Que c'est BEAU
de rester
sous le charme
d'une GENTILLESSE.

Dans ce monde,

il **faut être**

un peu trop bon

pour l'**être assez**.

—— Marivaux

La **gentillesse**,
c'est embellir les jours,
les mois et les années
de ceux
qu'on
aime.

Le plus grand

secret

de la gentillesse,

**c'est
d'y croire.**

Gentillesse:
mot de onze lettres
signifiant le don de soi

et son OUVERTURE
SUR LE MONDE.

La **violence**

n'est plus

lorsque la

gentillesse

est LOI.

50

La **gentillesse,**
c'est de tourner

la tête vers *le laid*

et de sourire

AU BEAU.

La **gentillesse**
n'a pas de prix;
elle **permet** simplement
d'être et
de **rendre heureux**.

La fleur
de la **gentillesse**
saura toujours fleurir,
même dans
un **IMMENSE** désert.

J'ai fait

un peu de bien;

c'est mon

meilleur ouvrage.

— Voltaire

La tristesse
nous conduit
SOUVENT vers
la gentillesse d'un ami,
vers son oreille attentive
et son *coeur ouvert*.

La **gentillesse**,

c'est de croire

au BONHEUR

qu'on peut répandre

autour DE SOI.

La gentillesse s'offre;
elle ne se compte
surtout pas.

Quand

ÇA NE VA PAS,

rien ne vaut

la

gentillesse.

Apprendre

à être **moins** égoïste,

plus ouvert aux autres,

c'est ça

la **gentillesse**.

Il est permis
de tout faire,
si ce n'est faire
souffrir les autres:
voilà ma morale.

—— Gustave Flaubert

Parfois,
il faut voir, sentir
la gratitude de l'autre
quand on a
une DÉLICATESSE,
une GENTILLESSE
à son endroit.

La gentillesse
bienveillante
envers nos aînés
est de mise.
Ce n'est qu'un juste
retour des choses.

La gentillesse

illumine le visage

et le coeur

DE L'AUTRE

sans condition.

GENTILLESSE,

DÉLICATESSE,

TENDRESSE

sont à coup sûr

cousines,

sinon **soeurs**.

La gentillesse,
c'est **un trésor**
que l'on se doit
DE PARTAGER.

La **gentillesse**,

c'est la clé

du bonheur;

on n'a pas idée

combien

on rend heureux.

Chaque marque
de *gentillesse*
est bienvenue.
Chaque *gentillesse*
est un gain
pour TOUS.

À coup sûr,

il y a plus

de bonheur

à donner

qu'à recevoir.

On est rarement
maître de se faire aimer.
On l'est toujours
de se faire
ESTIMER.

— Fontenelle

Avec nos parents,

amis et collègues,

de la **gentillesse**

avant

toute chose.

70

La GENTILLESSE
qui émane de quelqu'un
CRÉE AUTOUR de lui
un climat agréable
où il fait
bon vivre.

La *gentillesse*,
c'est une façon
bien personnelle
de prendre
**soin des
autres**.

La **GENTILLESSE**,

c'est quelqu'un

qui vous **accueille**

avec le sourire

et le bonheur

dans les **yeux**.

Un oeil

averti

reconnaît

toujours

la *gentillesse.*

Pour CONNAÎTRE
les hommes,
il faut les voir agir.

—— Jean-Jacques
Rousseau

Il faut se libérer
de vieux réflexes,
surtout celui
de l'indifférence,
pour être **gentil**.

Une vie
sans *gentillesse*...
quel **gâchis**,
mes amis !

Quand on dit
de quelqu'un
qu'il a **«même poussé
la gentillesse à...»**,
c'est très bien. Mais
la gentillesse, on devrait
toujours la **«pousser»**.

D'où pensez-vous
que vient le mot
«GENTLEMAN»?

Parent de *gentillesse*,
bien sûr.

Malheureusement,
il n'y a pas de féminin
pour le mot «gentleman».

Mais il faudrait sûrement
en attribuer un encore
plus beau aux femmes.

La **gentillesse**
que l'on communique,
c'est le

prolongement
de notre **bonheur**.

Heureux

qui est

GENTIL !

Qui cherche

la bonté

passe

inévitablement

par la *gentillesse*.

Sois gentil,
sois plein de
tendresse
et de compassion,
et laisse-moi libre
d'être moi-même.

84

Il est très

IMPORTANT

d'être compatissant;

il faut se montrer

plus **aimant**.

— Le Dalaï-lama

Le combat
de la gentillesse,
c'est de demeurer
présente
malgré la bêtise
humaine.

Partager **avec autrui**, gentillesse **oblige** !

Partout sur la terre,

la gentillesse

peut nous servir

de guide.

Qu'on se
le dise.

La
GENTILLESSE,

c'est une lumière

qui nous permet

de **grandir** et

de **faire grandir**.

Répandre

une **CHALEUR** humaine

et bienfaisante,

voilà également

ce que peut produire

la gentillesse.

L'homme
est un peu absurde
par ce qu'il cherche,
et grand
par ce qu'il donne.

— Anonyme

Quand on voit

la vie avec les yeux

du coeur,

la gentillesse nous

permet d'y voir encore

plus clair.

Parmi toutes
les **gentillesses** anodines
que l'on puisse faire,
offrir des fleurs
à l'être aimé figure
sûrement **en tête**
DE LISTE.

93

La **gentillesse**
peut donner à notre vie

un sens nouveau;

n'ayons pas peur

**du
changement** !

Il ne faut jamais
HÉSITER:
toute gentillesse
est TOUJOURS
DE MISE.

Quand on est

pas trop

gentil,

on ne l'est

pas assez !

Être généreux

de soi-même

envers
les autres,
c'est beaucoup
et plus que gentil.

Ne peut rien
pour le bonheur d'autrui
celui qui ne sait
être heureux
lui-même.

— André Gide

La *gentillesse*

est une source

inépuisable

de joie intérieure.

Tout est beau

dans la gentillesse

naturelle

et sans condition.

Sourire,

voilà une gentillesse

toute simple

mais combien

tonifiante

pour l'autre.

Si vous n'y avez

jamais goûté,

vous ne pouvez savoir

à quel point

c'est bénéfique

POUR LE MONDE.

Dans des bien des circonstances, les gens sont imprévisibles alors qu'il faut accueillir leur gentillesse, leurs égards envers nous quand ça passe et les apprécier à leur juste valeur.

Pour un enfant,
être capable
d'une gentillesse,

c'est très bien. Mais être
réceptif à une gentillesse,
voilà preuve de maturité.

Semer la *gentillesse*
auprès de nos enfants,
c'est s'assurer une **vie**
en **beauté** et toujours
EN AMOUR.

Les enfants

ont plus besoin

de modèles

que de critiques.

—— Joseph Joubert

Elle se savoure
à **petites doses**,

cette

gentillesse

imprévue

et *réjouissante*.

Lorsqu'on accorde
du temps à quelqu'un,
la **gentillesse**
veut qu'on
ne le compte pas.

La gentillesse
émanant
d'autrui
donne à coup sûr
l'envie d'être
tout proche.

La gentillesse,

c'est bien souvent

mettre du bonheur

en soi et en répandre

beaucoup

autour de soi.

En étant **gentil**
envers quelqu'un,
on montre *la voie*
et on ouvre
son **coeur**.

On **mérite**
de la gentillesse,
de l'amour et
du bonheur.
Il faut seulement parfois
travailler
en conséquence.

Toute GENTILLESSE

est saine

et reste profondément

appréciée.

Il existe sûrement

un **mode de vie**

régulé

par la gentillesse,

une sorte de culture

de la ***gentillesse***.

L'homme **N'EST RIEN D'AUTRE** que la série de ses actes.

— Hegel

Il est honteux
DE SE
DÉFILER
d'une gentillesse
lorsqu'elle nous semble
utile ou **nécessaire.**

116

C'est bien

magique

comme remède,

la gentillesse.

La plus petite
des gentillesses
est bien **plus efficace**
que toutes
les meilleures

intentions.

Comme c'est agréable
de voir,
à son insu,
une personne
faire preuve
de gentillesse.

La GENTILLESSE,

c'est aussi

savoir

remercier

ceux qui font

notre **bonheur**.

On a tous
quelqu'un de particulier
en tête
quand on pense
à ce que la **gentillesse**
représente.

La *gentillesse*
conduit
inévitablement
à la **bonté**.

On peut
être «gentil comme tout»
ou bien «gentil comme
un **coeur**»,
et c'est bien ainsi
qu'il faut agir.

La *gentillesse* doit,

en plus de caractériser

nos gestes et paroles,

être une vertu

dans notre

monde **moderne**.

Il faut toujours
connaître les limites
du possible.
Pas pour s'arrêter,
mais pour tenter
l'impossible dans les
meilleures conditions.
— Romain Gary

Plus vous cherchez

le **bonheur**,

plus la

gentillesse

remonte

à la surface.

Souvent,

ce qu'on appelle

GENTILLESSE

n'est que simple

FORMALITÉ,

et c'est bien ainsi.

La GENTILLESSE,
c'est *d'être*
attentif

aux autres

tout en ne
s'oubliant pas.

Qui a compris

une fois

la VRAIE gentillesse

ne veut plus

vivre autrement.

C'est avant tout
pour votre amour
qu'il faut être gentil.
C'est primordial
pour la vie en couple.

Couvrir de
tendresse
et d'attentions

un être cher,

c'est ça

la gentillesse.

Quoi

de plus GENTIL

que de belles paroles

d'amour

au creux de l'oreille

de l'être AIMÉ?

Aide à sécher
les **pleurs** et à faire
oublier les **peines**,
voilà de la gentillesse
pure.

Quelle belle gentillesse que d'ÉCOUTER UNE ÂME en peine. N'est-ce pas Voltaire qui disait que «l'oreille est **le chemin du coeur**»?

La gentillesse,
c'est **être complice**
de l'autre
dans toutes
les épreuves.

La **gentillesse**,
c'est une sorte d'oxygène,
palpable et
invisible
à la fois, dont l'humain
a grandement BESOIN.

On a tous
des **qualités
cachées**,
alors ressortons
la GENTILLESSE
au plus vite.

137

La GENTILLESSE,
c'est d'abord
et avant tout
vouloir le **BONHEUR**
et la **joie** de l'autre.

La joie que
nous inspirons a cela
de charmant
que loin de s'affaiblir
comme tout reflet,
elle nous revient plus
rayonnante.

—— Victor Hugo

La gentillesse
se manifeste de bien
des façons;
mais plus souvent
qu'autrement
elle est
SPONTANÉE.

Dire «c'est gentil»
à quelqu'un,
c'est reconnaître là
un trait de sa personnalité;
on touche une corde
sensible à n'en pas douter.

141

On ADMIRE
TOUJOURS
la gentillesse,
qu'elle soit
IMPOSANTE
ou toute *simple*.

La

gentillesse

consiste à donner

tout ce qu'on peut

au présent.

Les bonnes résolutions

NE
GAGNENT
PAS

à être différées.

—— Jules Romain

144

La GENTILLESSE

est à réinventer

chaque jour,

chacun *à sa façon.*

La *gentillesse,*
c'est le prolongement
de la **prévenance**
et de **l'amabilité**.

146

La nature
veut que l'humain
soit gentil
de prime abord.
Qu'avons-nous
contre
la nature?

Il y a dans
la
gentillesse
une sorte de **bonheur**
inévitable.

L'homme le plus heureux
est celui
qui fait le bonheur
d'un plus grand
nombre d'autres.

— Diderot

Soyons zen:

de nos jours,

la gentillesse,

c'est également

au volant

qu'elle doit se manifester.

Se souvenir

de la **gentillesse,**

c'est se souvenir

d'une **main** tendue.

La GENTILLESSE
de chacun ne vaut
QUE par l'importance
que l'on veut **bien
lui donner**.

Danser

avec la gentillesse

nous permet

des mouvements éclairés

et *empreints*

de tendresse.

La

gentillesse,

c'est le contraire

du chacun-pour-soi.

C'est lorsque
vous donnez
de vous-même
que vous donnez
vraiment.

—— Kalil Gibran

Et si la GENTILLESSE
était ce qu'il y a
DE PLUS BEAU
chez l'humain?

La gentillesse,

c'est
dans l'âme

qu'on la retrouve.

Par la gentillesse,
on vit EN
HARMONIE
avec soi et les autres.

Pourquoi la gentillesse?

Simplement parce
que c'est bien et beau!

L'usage
le plus digne
qu'on puisse faire
de son bonheur, c'est
de s'en servir à l'avantage
des autres.

—— Marivaux

160

La **gentillesse**,

c'est bien écouter l'autre

et, comme le dit

Marivaux,

«bien écouter,

c'est presque répondre».

Il faut **éviter**

de blesser nos proches

et notre gentillesse

DOIT NOUS AIDER

en ce sens.

Il ne faut jamais

mettre en doute

L'EFFET UNIQUE

que produit

une GENTILLESSE,

une délicatesse.

C'est une belle action
que de faire preuve
de **compassion**
et de **gentillesse**
envers les
personnes démunies.

Les *petites* choses
n'ont l'air *de rien,*
mais elles donnent
la paix.

—— Georges Bernanos

L'AMOUR

existe encore

quand la gentillesse

GOUVERNE.

La gentillesse,

C'EST LE PARTAGE

de ce que l'on est

avec les autres.

Quel bonheur:
la **gentillesse**
peut devenir
contagieuse.

La **gentillesse**

a une voix

qui me parle

de BONHEUR

et d'AMOUR.

Une gentillesse
toute simple,
mais combien importante,
c'est de

REMERCIER.

Le bien est plus
intéressant
que le mal,
parce qu'il est plus difficile.

—— Paul Claudel

Il n'y a pas
**QUATRE
CHEMINS**
à prendre:
soyez **GENTILS,**
vous serez **PLUS**
HEUREUX.

172

Arrête de critiquer
et de grogner pour tout
et rien,
voilà **une**
gentillesse
envers les autres.

Vivons pleinement
chaque jour et faisons
profiter nos proches
de toute notre attention.
Quelle belle gentillesse
envers ceux
qu'on aime le plus.

Le **PARADIS** n'est

pas sur terre,

mais il y en a

des *morceaux*.

—— Jules Renard

S'il fallait **qu'un jour**
la gentillesse
s'en aille,

Ce qui est

VRAIMENT BIEN

de la gentillesse,
c'est la promesse
de bonheur
qu'elle engendre.

Je sais
qu'il y a un plaisir fou
à être gentil.

IL FAUT
JUSTE
LE VOULOIR.

Les hommes

peuvent avoir

plusieurs sortes de plaisir;

le véritable est celui

pour lequel

ils quittent l'autre.

— Marcel Proust

Il faut être ignorant

pour penser
que la
gentillesse

n'est pas noble.

L'égoïsme est souvent

LE BOUCLIER

qui repousse

toute

gentillesse.

La GENTILLESSE

réussit à nous faire

apprécier

bien des choses

de la VIE.

La **gentillesse,**
c'est de donner
et d'agir naturellement
sans attendre
quelque reconnaissance
en retour.

Penser est facile.
Agir est difficile.
Agir selon sa pensée
est ce qu'il y a
de plus difficile.

— Goethe

La gentillesse
remplace facilement

le soleil

dans une journée.

La *gentillesse*

attire inévitablement

la bonne humeur

autour de soi.

La gentillesse,

c'est
d'être
réceptif

même si on n'en a pas

toujours envie.

187

Rien ne se fait

sans un peu

d'enthousiasme.

—— Voltaire

Plus loin
que le savoir-vivre,
plus fort que faire plaisir,
il y a la
gentillesse.

ÊTRE HUMAIN;
être vrai.

LA GENTILLESSE
aime la vérité.

Sans gentillesse,
l'homme ressemble
à un automate:

*il cherche
et ne trouve pas.*

Un cri,
une larme,
un sourire,

voilà tous les sentiments

que la gentillesse

reconnaît.

La **gentillesse**,

ce ne sont bien souvent
que de petits mots:

*bonjour, merci,
s'il vous plaît.*

La **simplicité**

n'est-elle pas

LA GENTILLESSE

de la difficulté?

194

Lorsqu'il s'agit

d'un **enfant**,

la gentillesse

d'un parent

est INSTINCTIVE.

La gentillesse

consiste à
faire le bien

et bien le faire.

On ne fait
son bonheur
qu'en s'occupant
de celui des autres.

—— B. de Saint-Pierre

Qui dit

que la

gentillesse

n'est pas éternelle?

À n'en pas douter:

DE LA
GENTILLESSE
DANS L'AMITIÉ

et c'est

pour la vie.

199

La gentillesse
détend souvent
l'atmosphère
et **calme bien**
des tempêtes.

200

Parfois,

notre conscience

y est pour quelque chose,

mais ça doit être là

une exception.

La gentillesse
veut que l'on donne

toujours une

chance,

peu importe l'occasion.

La gentillesse
sème la confiance.

Ne vous en étonnez pas.

La gentillesse

fait son chemin

ENVERS et CONTRE

tout, et tous!

Accrochez

votre existence

à la gentillesse,

et vous verrez comme

c'est beau l'arc-en-ciel

de la vie.

Je vous laisse
sur cette dernière réflexion,
et à vous de voir le rôle
que vous voulez jouer:

Chaque homme
doit inventer son chemin.

—— Jean-Paul Sartre

Demandez notre catalogue

ET, EN PLUS, recevez un

LIVRE CADEAU

et de la documentation sur nos nouveautés***[*]

Coupon de commande au verso

LA GENTILLESSE, C'EST...

Votre nom:...

....

Adresse:...

....

Ville: ....

Province/État: ....

Pays:...

Code postal: ....

Âge:..
